# Mon tour du monde

Texte: Gabriel Anctil • Illustrations: Denis Goulet

Dominique et compagnie

Aujourd'hui, maman emmène Émile
voir un spectacle pour les GRANDS.

Papa me regarde en souriant :
« Prépare-toi, Léo, nous allons faire
le tour du monde ! »

J'apporte mon sac à dos d'explorateur.
Premier arrêt: le Portugal.

On y mange du poulet délicieux avec des patates bien rondes.

Un match de soccer est présenté à la télé.
Nous encourageons l'équipe portugaise.

Papa propose de prendre notre dessert au Liban.

Ce sont les meilleurs au monde. Papa m'explique :
« Leur vieille recette secrète vient de la Pologne. »

Nous arrêtons dans un parc,
pour regarder une partie de cricket.

Papa dit que c'est le sport le plus populaire
en Inde et au Pakistan.

OUAH! Le lanceur envoie la balle à toute vitesse.

Le batteur la frappe et un joueur l'attrape
juste devant nous, avant qu'elle ne touche le sol.

Nous n'avons qu'à traverser la rue
pour arriver en Italie.

Je reconnais le drapeau trois couleurs du pays.

J'aperçois aussi des **Fiat** et des **Ferrari** stationnées dans la rue. Ce sont mes deux marques de voitures préférées!

Nous mangeons un gelato au chocolat.

MIAM!

C'est la crème glacée des Italiens.

Papa discute avec un vieux monsieur qui boit
un tout petit café en faisant de **très grands** gestes.

Nous passons sous une **GIGANTESQUE** porte
et nous arrivons... en Chine!

Il y a plein de gens sur les trottoirs, des épiceries, des cerfs-volants et des masques chinois.

Il y a même un **vrai de vrai** dragon qui vole au-dessus de nos têtes.

En début de soirée, nous soupons dans un nouveau restaurant. Papa commande des nouilles dans un énorme bol, avec des baguettes.

Incroyable!

Je n'ai jamais vu autant
de couleurs
briller dans le noir.
C'est comme dans un rêve.

« Ce sont des lanternes chinoises », précise papa.

Il y a encore tant de pays que j'aimerais découvrir,
mais nous devons rentrer.

avec le plus grand explorateur
du monde entier : mon papa !

J'ai hâte
de raconter
mon tour du monde
à Émile.
Je parie
qu'il ne me croira
**même pas.**